1

L'ENGRENAGE

Distributeurs exclusifs :
Diffusion-Québec
Montréal.
Tél. : 845-2535

Les Editions l'Etincelle
C.P. 702, Outremont,
Québec.

Premier tirage : 4,000 exemplaires.

Composé par les travailleurs de Journal Offset

 111

Jean-Pierre Compain.

L'ENGRENAGE

*Tremplin pour une socialisation
des arts et de la culture.*

Préface de Michel Chartrand.

l'étincelle

— PRÉFACE —

Ca n'existe pas une démocratie écono-
mique
Dans le capitalisme.
Ca n'existe pas une démocratie sociale
Dans le capitalisme.
Ca n'existe pas une démocratie politique
Dans le capitalisme.
Ca n'existe pas une démocratie culturelle
Dans le capitalisme.

Ce qu'il nous faut, c'est un changement
complet, radical et profond au Québec.

C'est normal ça, un peuple qui chante,
qui danse, qui s'exprime.

On est bourré de talents, tout l'monde
sait ça.

On est capable de la trouver notre
culture, les travailleurs sont capables
de la trouver.

Il faut cesser d'avoir peur.

Nous avons la force, l'intelligence et
l'imagination créatrice pour prendre en
mains toutes nos responsabilités. Des
expériences comme celles de l'Engrenage, c'est ça qu'il nous faut. Pas rien
qu'une, il en faudrait plusieurs. Il en
faudrait à l'échelle de tout le Québec.

C'est ça la démocratie culturelle et artistique.

La machine est partie, rien ne pourra plus l'arrêter.

Au nom des travailleurs, je remercie donc les initiateurs de l'Engrenage (Charlotte Boisjoli et Jean-Pierre Compain) ainsi que tous les autres pionniers de cette expérience.

Michel Chartrand.

A L'Homme-Travail.

Le théâtre, tout comme l'art en général, est sorti du peuple, il doit y retourner — Toutes les "Place des Arts" lui appartiennent —

La culture circule en vase clos et ignore le travailleur. Quand par hasard, celui-ci y accède, il devient étranger à son milieu —

Il faut donc redonner au peuple tous les instruments d'expression qui lui ont été volés et "créer deux, trois, plusieurs révolutions culturelles", accordées à la libération totale du peuple québécois.

L'Engrenage 1971

Le Travailleur, l'ouvrier n'est pas un robot

Quelle que soit sa condition de salarié, le travailleur a-t-il le temps, les moyens et le goût de s'épanouir humainement et culturellement?

La division artificielle des métiers et des tâches manuelles, intellectuelles, bureaucratiques, artistiques etc. dans nos super-tribus à consommation dévorante, n'a-t-elle pas créé des cloisonnements étanches où les riches participent d'une certaine forme de vie culturelle, reléguant les moins riches et les pauvres à une sous-culture d'évasion, de classe?

L'art, produit de la culture est moulé sur la société dont il est issu — Racine et Corneille, si grands soient-ils, n'ont jamais été des auteurs d'expression populaire. Car même si la culture reflète parfois les contradictions du pouvoir, elle n'en demeure pas moins l'instrument des classes privilégiées.

Ne peuvent s'y intégrer, que ceux qui sont dans le sillage de la culture, expression esthétique du système capitaliste. Et quiconque entre dans le sillage de la culture, est récupéré, à son insu, par la classe dirigeante ou jouera son jeu.

En France, l'expérience du Théâtre National Populaire (TNP) est révélatrice de ce fait. Dix ans de paternalisme culturel proposé en toute bonne foi à un public de travailleurs ont abouti à l'émergence d'une néo-bourgeoisie.

Grâce à la culture, l'échelle sociale est à nouveau dressée —

Et cependant, le travailleur n'est pas un robot, il existe en dehors de son travail; il peut même exister, dans nos pays de chômage, *sans* son travail.

Pierre Elliott Trudeau a déjà déclaré lors d'un de ses voyages pré-électoraux "que l'homme n'est pas fait pour travailler". Loin de souscrire à ce sophisme macabre qui cherchait à masquer une faillite politique évidente, force nous est de constater que la notion même de travail et d'effort existe peut-être dans les contraintes que la nature impose à l'homme pour la maîtriser.

Par contre, il serait plus juste de dire que l'homme n'est pas fait *seulement* pour travailler.

Or quelles sont les préoccupations éducatives et culturelles qui demeurent à la portée du travailleur moyen? En dehors de son temps de travail qui ressemble fort souvent à un esclavage civilisé, modernisé, n'y a-t-il pas plus que le hockey, les tavernes, les bingos et les émissions de télé "plates" et stérilisantes pour l'imagination, la sensibilité et l'esprit?

A l'exception de certains cinémas de quartier, les conditions d'accès aux concerts, salles de spectacles, musées et autres sanctuaires culturels bien gardés sont généralement difficiles pour le travailleur parce qu'il doit:

- payer, s'habiller et dialoguer comme le riche —
- seul, l'étudiant parce qu'il est dans le coup, dans le "bag", peut jouer le jeu.

Et les enfants des travailleurs, tous ceux qui par un blocage quelconque ne peuvent jouer aux petits premiers de classe brillants, aux futurs cadres récupérables ou aux petits enfants sages, ne perpétuent-ils pas cette exclusion héréditaire et chronique à tout épanouissement culturel et artistique normal?

Logique avec lui-même, pourquoi le travailleur participerait-il autrement que par la chanson populaire, le cinéma ou les sports à une vie culturelle qui l'écrase, le domine et tisse perpétuellement la toile d'araignée dans laquelle il se prend.

●

La société de loisirs et l'humanisation des conditions de travail devraient conduire normalement à un développement de l'être chez le travailleur

Les contradictions mêmes du capitalisme avec son évolution technologique incroyable, entraînant, paraît-il, une réduction importante des heures de travail, cette fuite en avant vers une société que l'on se complaît à désigner comme "société de loisirs" (1) devraient normalement et logiquement conduire à un développement de l'être *chez le travailleur*.

L'Homme-Travail libéré en partie des contraintes matérielles qui l'asservissent (la quête toujours plus grande de l'AVOIR pour continuer de subsister ou tâcher de subsister mieux) devrait normalement consacrer ce temps libre ou libéré *à lui-même*, au développement de ses facultés créatrices.

Quelles que soient sa condition et son origine, l'homme n'est-il pas fait pour s'épanouir harmonieusement dans *toutes* ses facultés?

_____

(1) Loisirs pour qui?

La monstruosité de l'ère capitaliste, monopoliste, c'est peut-être d'avoir érigé des cloisons opaques entre nos facultés manuelles, intellectuelles, esthétiques ou spirituelles. C'est peut-être aussi une des raisons pour lesquelles nous avons tant besoin de psychiatries et d'opiums de toutes sortes.

Car plus on s'enfonce dans cette civilisation dite de loisirs, plus on constate que l'épanouissement humain et culturel ne joue que pour quelques-uns — on élitise l'élite ou une fraction très minoritaire de travailleurs déjà sensibilisés qui seront tôt ou tard aspirés par la société de classes qui exige toujours d'autres élites pour se perpétuer.

L'atrophie culturelle est particulièrement évidente chez le travailleur, normalement porté à combler son temps libre par un autre travail payant qui, pense-t-il, l'aidera à se sortir du trou ou à grimper, par plus d'avoir, d'un échelon social.

- Seul, l'ouvrier fortement politisé peut s'exclure de ce cercle infernal et consacrer une partie importante de son temps libre ou libéré au développement de son être.

De l'importance politique d'un épanouissement humain et culturel du travailleur et le mythe agonisant du talent

On pourrait être porté à reléguer aux oubliettes ou du moins à sous-estimer des expériences marginales comme celle de l'Engrenage (Le Théâtre aux Travailleurs) ou toute autre forme d'animation populaire chez le travailleur.

Nos gouvernants nous ont habitués à n'accorder au développement de nous-mêmes et de nos facultés et à plus forte raison à celles de la MASSE, qu'une importance secondaire; l'art étant compris comme une forme d'évasion, de divertissement qui nous apporte une détente bien méritée.

Or, s'agit-il réellement d'une évasion de nous-mêmes, lorsque nous développons notre sensibilité, notre imagination et notre esprit?

Je ne crois pas —

Le travailleur qui affirme sa personnalité à travers un groupe par le développement de ses facultés les plus profondes et les plus intimes, prend conscience de son aliénation de façon totale, et irréversible.

Développant de redoutables facultés (1) qui sommeillaient, il rejette à tout jamais le travail mécanisé et l'asservissement qui en découle, parce qu'il découvre qu'il *est* autre chose qu'un Homme-Travail, qu'un robot. Cette désaliénation perçue à même sa chair le conduit à un point de non-retour vis-à-vis le système opprimant qui l'entoure.

Mais alors, objecterons-nous, si le travailleur devient lui-même CREATEUR, que devient le mythe du talent, si savamment entretenu par les idéologues du pouvoir?

Je crois personnellement que tout homme à des degrés à peine différents est créateur.

Le hasard, l'éducation, le milieu, l'argent, les systèmes séculaires déshumanisants ont créé ce que nous appellerons l'establishment artistique ou le pouvoir culturel (2).

(1) Facultés redoutables pour le pouvoir

(2) A l'extrême, les superstars sont des produits entièrement fabriqués par la publicité.

A titre d'exemples, soulignons que chez les peuples dits "primitifs ou sauvages", toute la collectivité dansait, priait, chantait, s'exprimait avec gratuité.

Il est à propos de se demander ici si nous n'avons pas oublié que l'art de l'homme des cavernes était une expression normale et naturelle.

Et que penser des sculptures africaines, des fêtes patriotiques grecques, des pawas amérindiennes, des mystères du Moyen Age?

"Le nouvel être", ne serait-il pas à l'image de l'ancien, le résultat d'un épanouissement heureux et harmonieux de toutes ses facultés.

Même les démocraties dites populaires, avec tout le respect que nous leur vouons, n'ont jamais réalisé la culture PAR et POUR le Peuple; le nombre de participants est tout simplement plus nombreux, les conditions d'introduction à la culture, un peu plus faciles.

Pour terminer sur ce chapitre, il semble bien qu'une véritable et authentique "démocratie culturelle" ne peut se constituer et s'épanouir qu'à partir, non seulement d'une érosion des classes sociales suivie d'un nivellement, mais à partir d'un certain éclatement des professions et métiers.

On a d'ailleurs déjà commencé à décapiter certaines professions comme celles d'avocat, de prêtre et de médecin pour mieux les démocratiser et les réajuster dans une autre optique sociale — les cures qui se transforment en centres d'animation sociale, l'apparition des avocats populaires, des Clinique Saint-Jacques et des Commune juridique sont des présages annonciateurs de cet éclatement ou réajustement nécessaire des professions et métiers.

Il devrait en être de même des professions artistiques car les besoins d'expression culturelle des masses sont impérieux.

Quelles qu'en soient les conséquences, (les oligarchies et corporations professionnelles vont peut-être se déchaîner) aucune force au monde ne pourra empêcher les collectivités de s'épanouir culturellement et humainement.

L'ARTISTE "ENGAGÉ" ENTRE DEUX MONDES

Dans un contexte de réelle *démocratisation culturelle et artistique*, que deviendra "l'artiste-monstre", façonné, moulé et quelque peu figé dans sa spécialité?

S'il ne doit pas disparaître graduellement, peut-être devra-t-il avoir la décence ou la sagesse de s'effacer, se faire plus discret, devenant en quelque sorte un animateur culturel tout proche de son jumeau, l'animateur social.

Si bien que l'artiste "professionnel engagé" est momentanément placé entre deux mondes: celui qui s'en va et celui qui arrive et pour lequel il se doit de travailler. - D'une part, s'il veut survivre ou plus souvent vivoter, il doit se Vendre totalement ou partiellement (1) au système, le pouvoir culturel l'ostracisant peu à peu. - D'autre part, il doit accorder une somme importante de son temps et de ses énergies créatrices à la révolution culturelle et sociale de laquelle il ne peut rien exiger.

---

(1) Entre l'artiste qui *se vend* au système en acceptant par exemple de faire des commerciaux et celui qui *se donne* dans des soirées au profit de mouvements progressistes, il y a une infinité de nuances.

L'animateur social, le syndicaliste (2) et le militant politique à temps plein "font métier" de transformer la société.

Le politicien fait généralement "métier" d'exploiter le peuple.

Mais l'artiste?

S'il continue à travailler en accord avec les structures du pouvoir établi, il rentre dans le jeu et se met au service d'une clientèle déjà "surculturée".

S'il opte pour les "soirées de charité" en faveur des mouvements de gauche, il risque de s'user peu à peu.

Placé entre deux mondes, il va falloir pour demeurer fidèle à lui-même et se mettre au service du peuple, qu'il pose solidement le pied sur le nouveau.

(2) Le syndicaliste nouveau, celui qui fait de l'action politique. L'ancien, faisant plutôt métier de stabilisateur du système.

Les choix qui nous restent

En attendant le "grand soir", où la démocratie culturelle deviendra peut-être effective, que reste-t-il à faire?

- Le statu quo

On pourrait envisager que cette mutation culturelle des peuples en général et du peuple québécois en particulier peut se dessiner à l'intérieur même du pouvoir culturel traditionnel.

Mais ne serait-ce pas du paternalisme déguisé? On donne la culture bourgeoise, comme on donne l'argent aux assistés sociaux.

Un réformisme timide se dessine cependant à l'intérieur de ces respectables institutions que constituent les théâtres, les expositions, les salles de concerts et autres GHETTOS culturels.

L'effort porte en général sur l'aspect plus incarné, plus québécisé de telle ou telle production artistique ou sur le prix plus populaire accordé certains soirs à certains groupes de "milieu défavorisé" ou d'étudiants, qui en général n'ont pas l'intention de récidiver...

Cette "bonne volonté" de rapprocher la culture du peuple, même si elle constitue une solution désespérée de grossir une clientèle en pleine débandade, constitue un effort qui n'est pas tout à fait négligeable: mieux vaut une culture bourgeoise *un peu plus* populaire, qu'une culture bourgeoise hermétique et tragiquement *a-populaire*.

D'ailleurs, l'art bourgeois survivra certainement quelque temps aux révolutions grâce à une faible mais trop fidèle clientèle, — les professionnels de l'art aussi.

Il nous faut donc compter avec eux et leur laisser le soin d'oeuvrer *à la réforme* de leurs respectables institutions.

- *Élitiser la masse?*

Autre tentation, autre cul-de-sac — Qui n'a pas rêvé d'instruire et d'épanouir d'un coup toute la masse et d'accoucher (socratiquement parlant) de x millions de petits bourgeois...

Utopies de toutes parts, puisque cela supposerait comme pré-requis que tous

les instruments d'éducation et de formation culturelle (journaux-radio-enseigne-
ment-lieux de spectacles) seraient entre
les mains du peuple, en un mot, qu'une
partie importante des bouleversements
et changements socio-culturels que nous
souhaitons seraient atteints!

Il ne s'agit pas, répétons-le, de four-
nir une culture, des goûts, des modes
et des schèmes de pensée bourgeois au
travailleur, mais de lui procurer les
connaissances indispensables et mettre
à sa disposition des outils, des techniques d'expression qui le révéleront à
lui-même et aux autres.

- *Révolution culturelle et ré-volution politique*

Une question troublante se pose à nous:
la révolution culturelle, doit-elle pré-
céder la révolution politique? On sait
qu'en Chine, la révolution culturelle a
suivi la révolution politique avec les
effets bienfaisants que nous lui connais-
sons.

En France, Malraux, ex-ministre de la culture sous le gouvernement gaulliste, a développé de véritables sanctuaires culturels pour contenir le potentiel contestataire et révolutionnaire — ainsi la révolution circulait en vase clos, était canalisée et permettait aux pouvoirs politiques de neutraliser les mécontentements en parquant les tenants de la révolution culturelle dans des lieux bien définis — Ces camps de la culture servaient d'exutoire à la révolution tandis que le Pouvoir économique, politique et social triomphait.

Dans le même ordre d'idées, les manifestations populaires étalées sur des cycles périodiques ne serviraient-elles pas d'échappatoire aux énergies révolutionnaires ou contestataires le manifestant se donnant ainsi l'illusion de faire la révolution. Donc un pouvoir mal-intentionné pourrait très bien encourager des manifestations populaires de types divers dans le seul but de désamorcer les revendications ou les contestations.

Si tel était le cas, la révolution culturelle serait un leurre: l'individu se libérant "culturellement" pour s'aliéner en tous autres points — Il faudrait alors anéantir les colonies culturelles et déclarer que la culture "est au bout du fusil"

Constituer des structures pré-socialistes et s'acheminer vers un art populaire de transition et de crise

N'entreprendre une révolution culturelle qu'après une révolution politique, c'est un faux problème. Cela équivaudrait à dire qu'il faut attendre "le grand soir" pour animer et mettre en branle des "dynamiques de masse."

En attendant, le pouvoir culturel établi chloroforme le travailleur — il reste donc à le réveiller en opposant une contre-publicité et une contre-culture nées de l'expression populaire même.

Ce qu'il faut surtout, c'est retrouver l'expression populaire *là où elle est*, c'est-à-dire dans le peuple, chez le travailleur. Cela dépasse largement ce néo-missionnariat qui consiste à apporter la bonne culture comme jadis la bonne parole civilisatrice aux "sauvages."

Pour cela, il ne faudra plus se satisfaire d'un *art d'évasion*, d'une culture de diversion où le travailleur détourné de ses préoccupations immédiates, c'est-à-dire la vie, rêve d'une société où il deviendra bourgeois —

Les théories de l'art pour l'art sont pour un temps caduques: l'art devenant un outil de transformation sociale.

La mise en route de structures culturelles présocialistes ne peut se réaliser qu'à partir d'un rejet momentané et critique de la vieille culture "à papa", continuellement entretenue par un système de valeurs démodées et profondément réactionnaires.

Même si ça fait mal, il faudra peut-être s'engager de plus en plus passionnément dans cette période de démolition culturelle quitte à réajuster par la suite le vieux meuble (culturel), un temps délaissé.

La vieille culture réapparaîtra peut-être alors épurée, rajeunie par les formidables tamis populaires.

Comme le Phoénix légendaire qui devait mourir pour mieux renaître de ses cendres.

Pour cela, il faut accepter que l'art populaire, celui des masses laborieuses prenne pour un temps, maladroitement ou non, des airs de combat et de crises.

Avant de retrouver son harmonie et son calme, la voix des peuples longtemps emprisonnée peut ressembler à un cri.

Proposition pratique tirée d'un bilan de deux ans d'animation populaire en milieu de Travailleurs

- Pour la deuxième année consécutive, les animateurs (1) de l'Engrenage (Le Théâtre aux Travailleurs) ont dispensé des cours d'animation théâtrale au sens large ainsi que des cours d'animation plastique à des travailleurs de toutes conditions, syndiqués ou non.

- Aucune restriction d'âge, de nombre ni de milieu de travail (travail salarié s'entend) n'a été imposée.

- Aucune contribution financière n'a été exigée; les cours sont gratuits et se veulent un service public de formation culturelle et artistique des travailleurs.

(1) Jean-Pierre Compain, Charlotte Boisjoli, Lise Rose, continuent à animer ces différents ateliers.

- La pédagogie employée est à la fois semi-directive par ses techniques d'expression corporelle et vocale — déclic de l'imagination et développement de la sensibilité, et non-directive, par le choix des thèmes de travail.

- De 35 à 60 travailleurs ont fréquenté l'Engrenage depuis deux ans.

- Des ateliers d'animation artistique sont à la disposition du groupe et des individus qui peuvent opter pour des cours d'animation plastique, musicale ou théâtrale (au sens très large).
  Le groupe d'animation théâtrale a toujours été le plus nombreux.
  De tous les organismes progressistes, seul le Conseil Central des Syndicats Nationaux (C.S.N.) a montré un intérêt pour cette expérience en fournissant le local.

- En 1971, le groupe constitué a donné un spectacle sous la forme d'une "création collective": l'Engrenage I.
  Un mini-spectacle expérimental appelé: "Un soir le 29 octobre".
  En 1972, une autre création collective est en préparation: Engrenage II.

Constat

Cette expérience nous a permis de constater:

a) qu'une telle initiative était fondamentale et devait faire l'objet d'une *priorité* au même titre qu'une initiative d'ordre économique, social ou purement politique,

b) qu'il fallait pour déboucher sur un art vraiment populaire privilégier pour un temps les *travailleurs* (cela inclut également les chômeurs) de toutes conditions.
Après la disparition des classes sociales, ces privilèges auront perdu leur raison d'être et tomberont d'eux-mêmes

c) que le travailleur, est tout aussi créateur et artiste, que l'intellectuel, tant sur le plan théâtral, plastique, que musical ou littéraire: voir illustrations

d) qu'en plus des animateurs professionnels, le travailleur-artiste demeure le seul lien véritable avec l'ensemble des travailleurs

e) que pour être efficace, il faut constituer un projet plus solidement organisé.

Projet

Si l'on ne veut pas que ce type d'expérience demeure comme tant d'autres marginal et inopérant, il faut consolider et structurer ce noyau de travailleurs-artistes.

Rapatrier en un lieu (vieille église par exemple) toutes les forces créatrices inventoriées parmi les travailleurs.

Animer ce lieu où le salarié pourra trouver:
- des cours populaires d'animation artistique: musique, théâtre, peinture
- un foyer de rencontre et d'accueil avec restaurant, bibliothèque, etc.
- un endroit où il pourra assister à des spectacles et y participer à l'occasion
- et enfin un lieu où il pourra envoyer ses propres enfants afin qu'ils puissent s'instruire en se divertissant: spectacles de marionnettes par exemple.

L'éducation artistique commence peut-être à la base, l'enfance ne devra pas être négligée.

Voici à ce sujet, l'impression de Charlotte Boisjoli:

L'état de pauvreté extrême dans lequel se trouve la culture en milieux défavorisés, prend des proportions alarmantes.

Une enquête menée en ce sens par le Conseil des Oeuvres de Montréal aboutit à des conclusions effarantes et parle même de "culture de pauvreté".

Le fossé qui existait déjà entre les classes riches et celles qu'on a pris l'habitude d'appeler défavorisées ne fait que s'élargir et se creuser davantage.

J'ai eu l'occasion de voir dans le bureau de la directrice des écoles de rattrapage de la CECM un plan, orné de petits drapeaux aux endroits où on peut trouver de telles écoles.

Tout le secteur de l'est de Montréal est noir de petits drapeaux (Saint-Jacques, Maisonneuve, Sainte-Marie).

Tout Saint-Henri, tout Sainte-Anne, un secteur dans le Parc Extension.

Rien dans Westmount, rien dans Notre-Dame de Grâces, rien dans Outremont, rien dans Ville Mont-Royal.

Pour remédier à cette situation, j'ai conçu avec quelques collaborateurs conscients de ce problème, un projet de

En attendant d'être animées. . .

théâtre de marionnettes qui s'adresserait exclusivement aux enfants de la zone grise de Montréal. Il s'agirait de les instruire en les divertissant. Qu'on me comprenne bien. Notre intention n'est pas de leur apporter une culture au sens traditionnel du mot, mais bien plutôt de les former.

Au bout de quelque temps, les enfants seraient amenés à fabriquer eux-mêmes leurs poupées et à monter leurs propres spectacles.

J'ai donc fait appel à divers organismes, susceptibles d'être intéressés par une telle initiative.

Les Caisses Populaires Desjardins,

La Fédération des Oeuvres de Charité,

Le Conseil des Arts du Canada, m'ont tous donné une réponse négative.

Il est à noter que le budget soumis était des plus minces: chaque représentation ne coûtant que $200.

Près de 3,000 enfants auraient pu bénéficier de spectacles faits pour eux et qui présentent toutes les garanties d'une haute qualité.

Qui donc se chargera de procurer à ces enfants une ouverture d'esprit à laquelle ils ont droit?

Faudra-t-il attendre que l'abîme soit si grand qu'il devienne impossible de le combler?

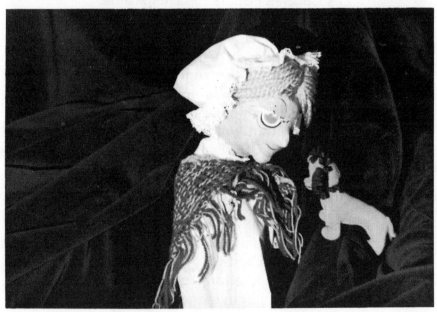

Marionnettes conçues et réalisées par de jeunes travailleurs de l'ABC Ecole de théâtre (Atelier de Charlotte Boisjoli.)

Est-ce la mort lente de l'esprit et de l'âme qu'on leur réserve?

Qui prendra en mains une situation qui est déjà plus que détériorée?

Voilà autant de questions que je soumets à votre réflexion.

Si quelqu'un a des suggestions intéressantes à faire, je les recevrai avec joie.

Il y a trop longtemps que ça dure, on est "tannés" d'attendre.

Charlotte Boisjoli.

Pourquoi une expérience élargie et structurée comme l'Engrenage ne peut-elle constituer un autre ghetto culturel ou une libération individuelle récupérée

Nous avons eu l'occasion de parler plus haut des ghettos culturels français, de l'attitude du vase clos, de la culture qui tourne en rond, des énergies révolutionnaires aisément "concentrationnées" parce que nourries et entretenues par le Système.

Certains esprits lucides pourraient facilement nous rétorquer: n'allez-vous pas tomber dans le piège du contre-ghetto, de la pépinière culturelle encerclée en zone grise ou encore dans la libération individuelle récupérée.

La remarque serait pertinente.

Mais nous ne pensons pas que cela soit possible, d'abord parce qu'il ne s'agit pas d'une révolution culturelle individuelle, du "peace and love" si cher aux tribus hippies mais bien plutôt d'un enclanchement, d'une amorce de culture populaire *en devenir*, donc révolutionnaire.

Le tout, étroitement relié aux mouvements de libération des travailleurs organisés à la base (syndicats, caps, gets) et à toutes les forces progressistes qui travaillent à coordonner les luttes des travailleurs.

En ce sens, il est possible de prévoir outre des déplacements d'animateurs vers la province, une présence probable sur les lieux de travail ou de conflits (Cf: notre mini-spectacle "Un Soir le 29 octobre" présenté devant le syndicat de la construction et le Conseil Central de Montréal, C.S.N.).

L'Engrenage ressemblerait alors davantage à une expérience éclatée et en quelque sorte non-récupérable parce qu'accordée à la libération totale du peuple québécois.

En conclusion, l'ensemble de ce projet nécessite une compréhension et une collaboration de toutes les forces progressistes afin qu'elles apportent un support humain, technique et financier à sa réalisation.

Le capitalisme est efficace parce qu'il est organisé. Il *possède* tous les pouvoirs. Il s'agit de les lui reprendre un à un sans en oublier aucun pour les remettre au peuple.

Jean-Pierre Compain

43

Questions de fou à un sourd-muet

1. Qui a payé la Place des Arts et qui la hante?
2. Qui subventionne le TNM, et qui le hante?
3. Le Rideau Vert?
4. Les salles d'expositions et de concerts?
5. Les musées?
6. Qui monopolise l'information et qui la subit?
7. Qui fournit l'argent aux lieux dits culturels de la belle province et qui en profite?
8. Combien y a-t-il de théâtres pour enfants au Québec et à qui profitent-ils?
9. Où sont les théâtres de marionnettes et à qui profitent-ils?
10. Selon une enquête sérieuse, 1% de la population de Montréal fréquenterait les théâtres — combien de travailleurs composent ce 1%?

Comme le sourd-muet ne manifestait aucune compréhension, le fou se tut et ne posa plus de questions.

JPC

TÉMOIGNAGES DE TRAVAILLEURS

(participants de l'Engrenage)

Ces cours sont pour moi beaucoup plus qu'un hobby, c'est une façon de vivre; en ce sens que tous mes intérêts s'en trouvent revalorisés. J'ai découvert que nos capacités humaines sont sans limite et inestimables et que dans le grand jeu de la vie, si nous ne voulons pas demeurer qu'instrument, cette découverte de nous-même est essentielle. Pour le comprendre, on se doit d'y participer à ce théâtre, à cet engrenage, car chaque être humain est un artiste qui peut y participer.

Renald Lachance.

L'école de théâtre des travailleurs, c'est l'école de la vie. C'est un engagement constant face à soi-même et aux autres.

Lise Brisson.

Se découvrir, prendre son espace, son air vital parmi la société, la connivence entre les êtres: ce sont les thèmes développés au cours de notre expérience: thèmes de la vie où l'action théâtrale collective devient l'essence même du développement du peuple québécois.

Richard Doutre.

Le théâtre et l'expression corporelle, aident à l'épanouissement physique et moral spécialement chez le travailleur accablé par le stress quotidien.

Marielle Saint-Dizier.

L'Engrenage m'a fait comprendre que les vraies valeurs sont les valeurs humaines.

Denise Biron.

C'est une expérience formidable parce qu'on y découvre que tous et chacun peuvent exprimer leurs sentiments, faire un lien entre la réalité et le théâtre. Celui qui ne croit pas au sentiment de la réalité ne peut faire du théâtre. Le théâtre c'est la vie. Enfin le fossé entre le théâtre et l'homme de tous les jours se comble. Enfin la peur du spécialiste disparaît. Le théâtre n'est plus un trésor en cage, mais plutôt une richesse disponible, gratuite, individuelle et collective.

André Charest.

L'art, comme la politique, n'est-ce pas l'affaire de tous?

Augusto Gregorio da Cruz

Cette expérience a été pour moi une sorte de révélation au niveau de la possibilité d'expression et de création collective, de connivence possible au niveau de simples gestes, peut-être une conscience toujours accrue de notre réalité sociale.

Pascale de la Housse.

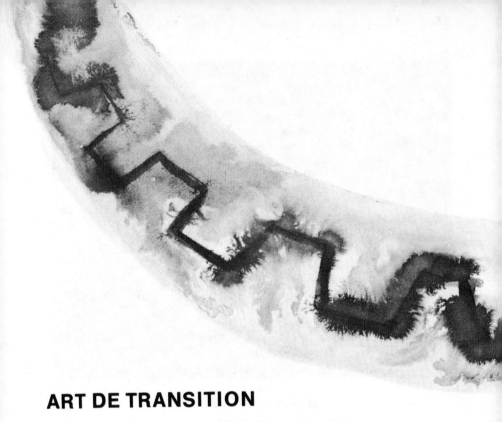

ART DE TRANSITION
ET DE CRISES

LE SOLEIL DE TOUS

LA DÉCOUVERTE DE L'AUTRE

LA JUSTICE DE TOUS

LA MACHINE INFERNALE

LA GUERRE

LA PAIX

L'ENGRENAGE 1971

POÈMES DU TRAVAIL
ET DE LA COLÈRE

Aux Patriotes Camarades!

Le Bag!

J'ai mon hostie de bag
J'ai mon bag d'hostie
Un bag qui trahit qui glorifie
C'est comme mon taxi,
C'est comme mon taxi d'hostie;

C'est le bag de la charité
C'est le bag de l'exploité
Du chauffeur esclave agenouillé
Un bag pourri perpétué en taxi.

C'est comme la Régie
Une sorte de Régie d'hostie,
C'est la Régie du génie du taxi
Génie de vaincre, génie de l'inertie.

Vaincre ou scrapper
Scrapper à brûler les feux
Vaincre le sommeil dans les yeux
Abruti, terrassé, robot brûlé
Brûlé avec du feu, du feu bleu;

Du feu qui brûle du rouge
De feu en bouteille du feu qui bouge
Du feu Murray Hill du feu qui change
Du feu qui brûle orange.

Chaleur matinale au soleil rose
Des matins où la pensée explose
Des voix emprisonnées qui crachent la
                                        hargne
Malgré les années et les épines du bagne!

Avec la vie, sa vie, la mienne, la tienne
Cent mille vies qui luttent d'espoir
Qui chialent qui miaulent
Qui crient, qui se tordent de désespoir
Qui meurent en pleurs, qui meurent en
                                        fleurs
De notre bag sorti de la noirceur!
                        Nous vaincrons!
                        G. Therrien
                        Travailleur-militant
                        (M.L.T.)

Colère d'une Mère

Etre Mère c'est une vocation
Que je me suis donnée.
Mais voir nos petits sans manger,
ça on ne peut l'endurer.
Même si c'est vrai qu'on est tous un peu
                                    pognés.
Est-ce que nos petits sont obligés de
                                    payer
pour des pots qu'ils n'ont pas cassés?
Oh de la pitié, tout le monde peut en
                                    donner.
Surtout pour un secteur défavorisé
Comme on a pris l'habitude de nous
                                    nommer.
Mais moi je suis écoeurée.
Nos enfants sont aussi doués que les
                                    enfants
des secteurs supposément favorisés.
Ces chers petits favorisés qui pourtant
sont obligés de venir nous voir travailler.
Pour apprendre comment s'amuser
Chanter et danser

Dans mon secteur équilibré.
                    Avis à nos députés.
                        Andréa Samuel
          Travailleuse, mère de famille
                    (Petite Bourgogne)

Le Plus beau voyage

J'ai refait le plus beau voyage,
de mon enfance à aujourd'hui
sans un adieu, sans un bagage
sans un regret ou nostalgie.

J'ai revu mes appartenances
mes 43 ans et la vie
et c'est de toutes mes appartenances
le plus heureux flash de ma vie.

Je suis de lacs et rivières
je suis d'asphalte et de néons
je suis de roches et de poussières,
je ne suis pas des grandes moissons.

Je suis de sucre et d'eau d'érable
de Pater Noster et de Crédo
je suis de dix enfants à table
je suis de janvier sous zéro.

Je suis d'Amérique et de France
je suis de chômage et d'exil
je suis d'octobre et d'espérance,
je suis une race en péril.

Je suis prévu pour l'an 2000
je suis notre libération
Comme des millions de gens fragiles
A des promesses d'élection.

Je suis l'énergie qui s'empile
d'Ungava à Manicouagan
Je suis Québec à cent pour cent
Je suis Québec Mort ou Vivant.

Maurice Couture
Travailleur
(Petite Bourgogne)

CREATIONS PICTURALES
DES TRAVAILLEURS

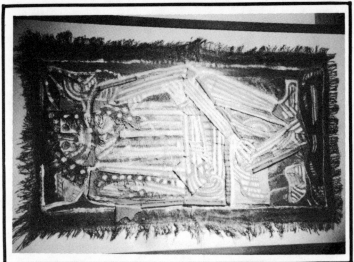

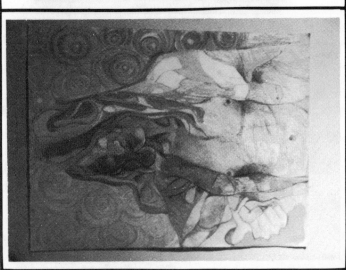

ANIMATION MUSICALE

Toutes les formes actuelles de lutte ont compris que le réformisme en général, le progressisme en général n'était plus possible, parce que précisément la bourgeoisie ne le veut plus. Car c'est au centre qu'elle est attaquée, au centre, c'est-à-dire au niveau même où il y avait une culture, culture bourgeoise. C'est là qu'elle est attaquée.

Jean-Paul Sartre.